M000289266

# PALÁU

## MÉTODO FOTOSILÁBICO

## 3.ª CARTILLA

# PALÁU
## MÉTODO FOTOSILÁBICO

Nombre: ................................................................

Colegio: ................................................................

El sistema **Paláu** es un método fotosilábico para la enseñanza de la lectura y la escritura que encaja perfectamente con el castellano, lengua típicamente silábica, lo que hace posible los sorprendentes resultados logrados por todos los educadores que lo utilizan tanto en España como en Iberoamérica.

El sistema Paláu ha demostrado su eficacia a lo largo del tiempo, siendo este su mejor aval. Su autor ha sido reconocido con la concesión de la Cruz de Alfonso X el Sabio por su contribución en el ámbito de la educación infantil. El método Paláu consta de cartillas y barajas. Para una correcta utilización, aconsejamos seguir estos pasos:

FASE 1:

1.  Mostrar a los niños objetos de su entorno y decir sus nombres, dando simultáneamente tantas palmadas como sílabas tiene cada nombre. Ejemplo:
    ME-SA (2 palmadas)
    VEN-TA-NA (3 palmadas)

2.  Los niños repetirán rítmicamente el nombre de cada objeto dando una palmada por cada golpe de voz o sílaba.

FASE 2:

Utilizando la baraja, mostrar a los niños los dibujos de cada naipe, no la grafía. Decir el nombre de cada dibujo dando una palmada por cada golpe de voz o sílaba que tenga el nombre correspondiente.

 E-LE-FAN-TE (4 palmadas)

 PO-LLI-TO (3 palmadas)

FASE 3:

A la vista de cada dibujo de la baraja, dar UNA SOLA PALMADA al mismo tiempo que decimos EL PRIMER GOLPE DE VOZ del nombre de cada dibujo.

 PA (1 palmada)

 LO (1 palmada)

De esta forma se presentarán todos los dibujos de la baraja por grupos de naipes. Los niños deben conocerlos todos antes de seguir adelante, diciendo, a la vista de cada dibujo, solamente la primera sílaba.

FASE 4:

1.  Colocar juntos un grupo de naipes que exprese una PALABRA y leer el texto escrito con dibujos pronunciando por cada dibujo el sonido de su PRIMERA SÍLABA.

   Leer: PA-LO-MA

Colocar los naipes de la baraja para formar una FRASE, de modo que los grupos de naipes que forman cada palabra se hallen en contacto, dejando separadas unas palabras de otras. Por ejemplo: DA-ME  LA  PE-LO-TA.

2.  Los niños leerán la frase escrita con los dibujos y explicarán su significado para asegurar su comprensión.

3.  Dictar una palabra o una frase para que los niños formen con los dibujos de los naipes de su baraja la palabra o la frase en su mesa.

FASE 5:

Cada naipe de la baraja tiene en su reverso escrita la PRIMERA SÍLABA del nombre del dibujo correspondiente.

En esta fase pasaremos a presentar a los niños la grafía de dicha SÍLABA.

Viendo la sílaba escrita sin ver el dibujo, pronunciar el sonido y comprobarlo después con el dibujo.

Colocar los naipes de manera que queden en un bloque con las grafías hacia arriba y colocadas de frente al niño.

pa lo ma          Leer: PA-LO-MA

            Voltear y comprobar

Los niños leerán cada grafía y posteriormente le darán la vuelta y comprobarán con el dibujo.

Los naipes que se acierten se colocarán a la derecha, y los que se fallen, a la izquierda, para repetir con estos el estudio hasta que se aprendan todos. De esta forma se realiza un juego con el que se fomenta el autoaprendizaje.

FASE 6:

Formar PALABRAS y FRASES de las cartillas con la baraja, dejando a la vista las grafías, e ir volviendo sucesivamente los naipes para ir comprobando con los dibujos. Finalmente, se puede pasar al dictado, de modo que los niños formen con sus barajitas palabras y frases sobre la mesa sin ver los dibujos, para después comprobarlos ellos mismos (autocorrección).

Desde el principio y SIMULTÁNEAMENTE al uso de la baraja, comenzaremos el uso de la cartilla.

Cuando los niños conozcan un grupo de grafías de la baraja, iniciar la lectura correspondiente a dichas grafías en la cartilla.

La cartilla es un libro que los niños saben leer desde el primer momento en que lo usan.

La baraja la utilizaremos para el aprendizaje de la SÍLABA. La cartilla, para el aprendizaje de la PALABRA y de la FRASE.

La palabra se leerá mentalmente sílaba a sílaba, pero se pronunciará de una sola vez, sin silabeo.

| | | | | |
|---|---|---|---|---|
| sa | se | si | so | su |
| as | es | is | os | us |
| has | hes | his | hos | hus |

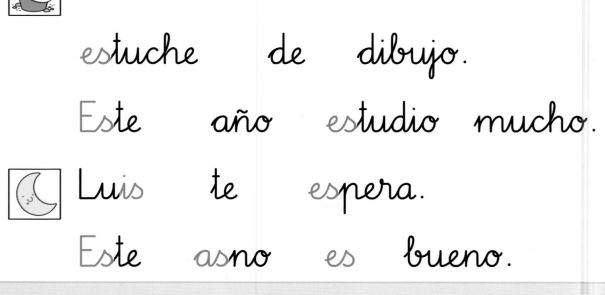

Mañana es la fiesta de Luis.

Llevo a la escuela mi estuche de dibujo.

Este año estudio mucho.

Luis te espera.

Este asno es bueno.

Este niño estudia mucho.
¿Qué hace este niño? ....................

Veo una isla, está rodeada
de ....................

Este estuche es de dibujo.
Yo solo dibujo con lápiz ....................

Esta casa es una ....................
Su tejado es rojo.

Este es el mapa de
España. Veo los ríos.

| | | | | |
|---|---|---|---|---|
| na | ne | ni | no | nu |
| an | en | in | on | un |
| han | hen | hin | hon | hun |

 Antonio cuenta un cuento a Enrique que lo entiende muy bien.

Enciendo una vela rota que estaba ahí encima.

Ya ando bien en bici; estoy entusiasmado.

Enciéndeme la vela.

Este niño anda en bici.

La ….…... es de este ….…...

## CUENTO

Cuéntame un cuento, abuelita;
el cuento que me contaba mamá
de Caperucita.

Caperucita era una niña
muy buena, que un día…

Y la niña escuchó,
entusiasmada, a la abuelita.

| | | | | |
|---|---|---|---|---|
| ra | re | ri | ro | ru |
| ar | er | ir | or | ur |
| har | her | hir | hor | hur |

Arturo está harto de reírse de lo que dice su hermana  Regina.

Este arbolito está lleno de hormigas.

Esa muralla tiene un arco muy hermoso.

Arturo estuvo peor.

La ardilla está en el arbolito.

Ese arco de la puerta de
la ermita es muy ....................

Esta puerta está ....................
Cuando no está abierta está ..............

Mi hermano es pequeño
y lo llevo de la mano.

Mi hermana María
corría y corría
y no me cogía.
Mi hermana María
reía y reía cuando me cogía.

|  | | | | |
|---|---|---|---|---|
| la | le | li | lo | lu |
| al | el | il | ol | ul |
| hal | hel | hil | hol | hul |

Era el último de la fila de la derecha.

En el baúl quedó olvidado el guante de piel.

La miel está en el tarro alto.

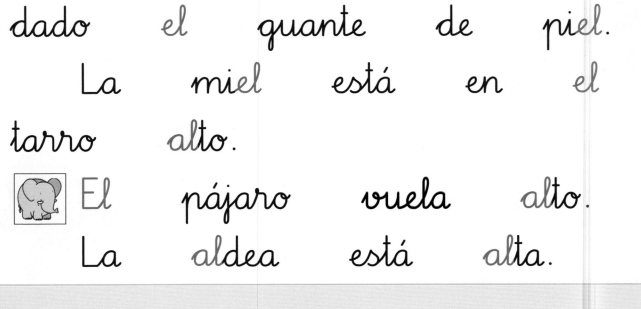 El pájaro vuela alto.

La aldea está alta.

El mielero dice:
¡Qué rica es la miel!

Esta niña va a la aldea
y da la vuelta.

La leña está ardiendo.
¿Qué se quema?

Esa botella tiene ...................
El alcohol está en la ...................

El niño y la .................
El gato y la .................
El perro y la .................
El pato y la .................

El oso y la .................
El toro y la .................
El gallo y la .................
El lobo y la .................

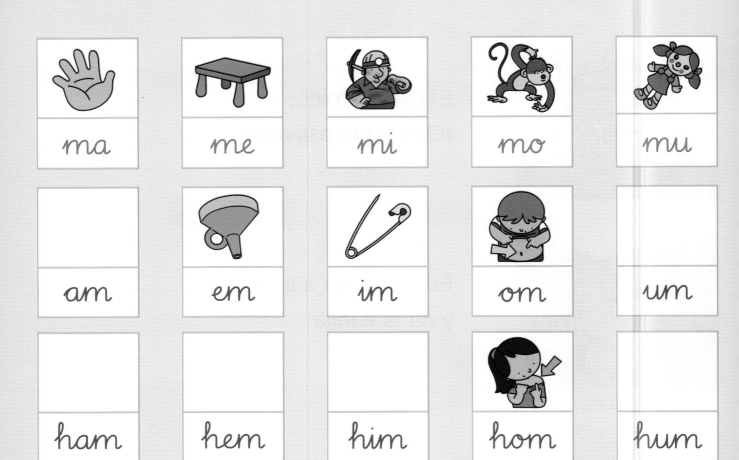

| ma | me | mi | mo | mu |
|----|----|----|----|----|
| am | em | im | om | um |
| ham | hem | him | hom | hum |

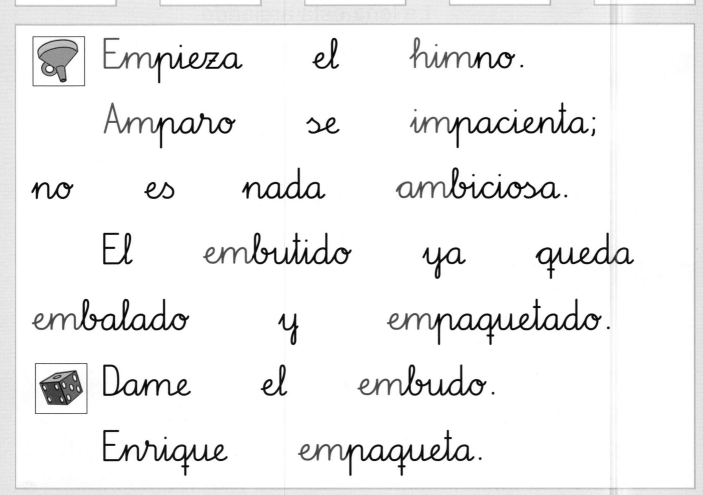

Empieza el himno.

Amparo se impacienta; no es nada ambiciosa.

El embutido ya queda embalado y empaquetado.

Dame el embudo.

Enrique empaqueta.

Este dibujo es un ....................
El embudo está en la ....................

Aquí veo una barra de ....................
que está encima de la ....................

Empieza el invierno,
cuando acaba el ....................

Llevaba embalado un paquete
para Luis.

El buque se ha hundido
en el ....................

| monte | menta | manta |
| jamón | comen | aman |

| malva | mil | molde |
| multa | animal | mal |

| mosca | musgo | mes |
| humos | camas | amos |

| martillo | mermelada | |
| sumar | comer | amor |

Marchamos a la montaña a comer y llevamos una empanada, merluza, queso y una manzana. Vimos un mosquito.

Margarita marcha a la ................... a veranear.

Margarita no va este mes al ....................

Esta manzana no está mondada. Yo mondo la ....................

¡Qué rica es la mermelada de ....................!

Vamos, vamos, que la Luna
asoma ya en la montaña.
El campo está iluminado.
¡Vamos, vamos, a la cama!

**ten**

tentáculo    tinta    tonto
latín    melocotón    tintero

**tol**

toldo    talco    mantel
capital    Matilde    tul

**tos**

tos    tostón    testaruda
botes    latas    montes

**tar**

tarta    torno    turbio
aturde    tostar    atar

Empieza la tormenta.
Hay patos en el estanque.
Ten el tintero y el patín.
Juan ha llegado tarde.
Tarde de invierno.

Estos botes están encima
de la ……….. de Matilde.

Estos patos están en un estanque.
El ……….. está turbia.

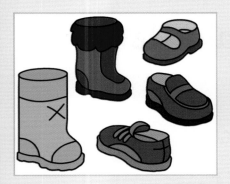

¿Cuántas botas hay?
¿Cuántos zapatos hay?

Aquí hay un botón rojo.
¿Cuál de estos es el botón rojo?

Esta tarde tengo que ir
a estar con mis amiguitos.
No quiero ir tarde.

**pan**

pan    pintas    puntilla

tapón    apunta    punta

**pal**

palmera    pulga    pulmón

papel    polvo    pulpos

**pas**

pastor    piscina    pescado

tapas    topos    alpiste

**pez**

pez    pizca    paz

lápiz    rapaz    tapiz

 Mi lápiz pinta mal en el papel.

 Palmira, pon pescado en el pastel.

Palmera del parque.

Pongo un punto de lápiz
y así pinto el ojo de cada pez.

Pinto a lápiz el patito
punteado.

Ahora pinto una palmera
igual a esta.

Pinto la oreja y el rabo
al gatito.

Pun, pin, pan.
Cohetes en el cielo,
pun, pin, pan.

La niña no tiene miedo.
¡Mamá!, mira, ¡mamá!

lan

| lanza | lente | linterna |
| balón | bailan | salen |

lis

| lista | suelas | solos |
| hilos | olas | pieles |

lar

| larva | largo | salir |
| color | hilar | alarma |

luz

| luz | cáliz | regaliz |
| veloz | feliz | |

Se ha apagado la luz.

Tengo una colección de postales en color.

Alerta, te lanzo el balón.

Bailan en el salón.

Pinto de color malva el tiesto.

Una de las velas tiene luz.
¿Cuál es?

Las olas bailan en el mar.

La vela quema y da calor.

Feliz Navidad para todos.

**dan**

danza   dental   dintel
andan   andén   don

**del**

delfín   adulto   mandil
dedal   dulce   Adolfo

**dos**

dos   disco   discípulos
redes   hadas   desvío

**dar**

dardo   dormir   radar
nadar   sudor   poder

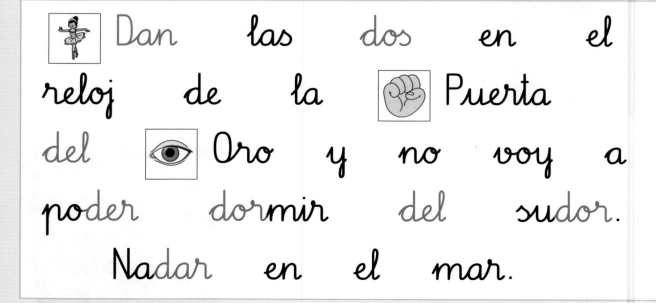

Dan las dos en el reloj de la Puerta del Oro y no voy a poder dormir del sudor. Nadar en el mar.

Cuento estas monedas
y digo cuántas son.

¿Cuántos puntos veo
entre los dos dados?

A estos dados les pinto
los puntos.

Este es el uno
y este es el dos.

A dormir va la niña,
que la noche ya llega.

La niña tiene sueño;
a la cunita, ea.

| | |
|---|---|
|  san | sandalia    senda    son cosen    asan    asuntos |
|  sol | sol    salva    silba girasol    insulto    sal |
|  sas | casas    susto    sistema sospecha    toses    suspira |
|  sar | sartén    sorteo    surco pisar    toser    quisar |

 Luz está quisando sin sal y sin aceite.

Se asustó de los osos.

La sartén está al fuego.

Salta el saltamontes.

¿Qué hora es?
Son las seis.

¿Qué hora es?
Son las ....................

A esas dos casas les pinto
las puertas.

Esos osos son de juguete.

Salta, pajarita de papel,
que si saltas en la mesa
cuando tiro del mantel,
diré a todos que estás viva,
pajarita de papel.

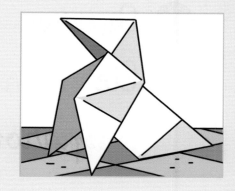

| | |
|---|---|
|  rom | rombo  rampa  rumbo<br>rompe  derrumbado |
|  ran | rancho  ronca  renta<br>cierran  barren  roncha |
|  ras | raspa  rosca  restar<br>perros  carros  corres |
|  red | red  cerrad  recorred<br>pared |

 Tu  red  se  rompía.
Encerrad  a  los  perros.
 Quiero  correr  y  saltar.
Cierren  las  puertas.
Rasparon  la  pared.

La escoba sirve para ..................
La escoba es de palma.

Estos burros coceando
romperán la red.

¿Quién ha caído en la red?
En la .................. cayó el ..................

El gato se comió la sardina
y dejó las ras ..................

Ronca, ronca,
don Ramón,
y duerme como un lirón.

**bom**

bombilla     bombín

bombón     bombero

**ban**

bandera     banquetes

acaban     abundancia

**bol**

bolso     balcón     bultos

baldosa     balsa     cabal

**bar**

barco     borla     burlar

berza     acabar     bar

 Quique y  Bartolín iban en una barca.

 Gabino se puso barbas y un bombín antiguo.

Barca de pescadores.

Pinto un barco en el mar.
¿Por dónde navega el barco?

¿Para qué sirve una bombilla?
Sirve para ....................

Los bombones son de ....................
y están muy ....................

Ese barbudo no va a la
barbería a que lo afeiten.

## MI BARQUITO

Hice un barco de papel
y en el agua lo dejé.
El agua se lo llevó.
Adiós, mi barquito, adiós.

**gan**

gancho juegan vagón

llegan apagón fogón

**quin**

quindas juequen

persiquen quindilla

**gal**

galgo golpe golfillo

nogal Miguel gol

**gor**

gorgorito garfio lugar

jugar seguir hogar

En un lugar del huerto hay un quindo y un nogal. Llegan  Charo y Fe. Igor es un golfillo. Guindas del quindal.

Llegan bandadas de tordos
al guindal, comen las guindas
y se escapan todos gordos.

Listo el dueño, colocó
un ligero espantapájaros,
y tanto miedo causó
que de allí ni un solo pájaro
una guinda se llevó.

| | |
|---|---|
| gente viajan juntos cogen eligen dejan | |
| gen | |

jilguero   ágil   jolgorio
perejil   ojal   gel

jil

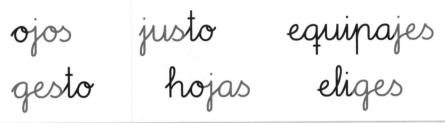

ojos   justo   equipajes
gesto   hojas   eliges

o-jos

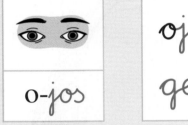

jardín   elegir   tejer
mujer   mejor   coger

jar

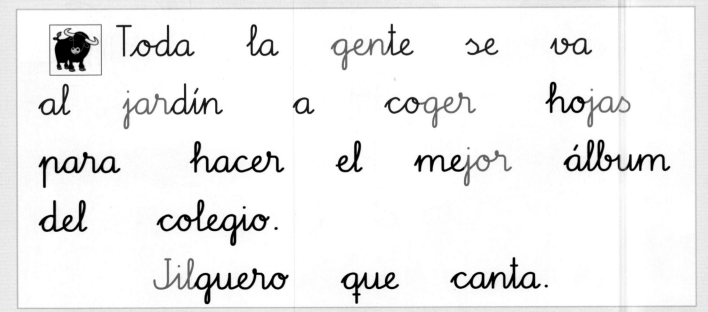

Toda la gente se va al jardín a coger hojas para hacer el mejor álbum del colegio.

Jilguero que canta.

# CUENTO

Íbamos por la selva y vimos un león.

¡Sálvese quien pueda; al que ataca no se salva!

¡Qué león tan salvaje!

No tengáis miedo, dijo el león, soy un león de cartón.

can

candado     concha
tacón     campo     comba

cal

calcetín     culto     aquel
local     caracol     caldo

cas

castillo     costa     cascos
rocas     cosquillas     castor

car

cartera     curva     corto
corcho     carne     licor

 Va   a   tomar   caldo   de
carne   de   cordero.
Ya   sé   leer   estas   cartillas.
Bajaba   con    Carmen.
Cartilla   de   lectura.

Caracol, caracol,
saca los cuernos al sol.

Sube la escalera,
que viene la abuela
con el escobón.

Caracol, caracol,
saca los cuernos al sol.

**ven**

ventana    venta    van

cavan    vende    ventilador

**char**

charca    charla    tachar

luchar    Melchor

**far**

farmacia    afortunado

formal    Fernando    firme

**cer**

cerdo    circo    zarzas

hacer    cazar    zurdo

 Cerca de la charca van a hacer una cerca.

 Llamé a Juan por la ventana y le mandé a la farmacia.

Vente, pajarito, ven.
¿Vienes a charlar conmigo?
Ven, pajarito, que quiero
ser tu amigo.

Voy a decirte de cerca
una cosita al oído.

Si vienes a mi ventana
de pajitas te haré un nido.

Pajarito, ven,
que yo quiero ser tu amigo.

**sex**

sexto   Sixto   Calixto

pretexto   texto   mixto

 **rec**

recta   corrección   rectángulo

correcto   insurrecto   recto

 **hoz**

hoz   raíz   nuez

luz   paz   lápiz

 **oc**

octavo   acción   actor

activo   Octavio   acto

El texto es correcto.

La hoz no es recta.

Un avión reactor.

La nuez la da el nogal.

Octavio es el octavo.

# LOS INSECTOS

Las moscas, los mosquitos,
las mariposas, las cucarachas
y muchos animales más
son insectos.

Los insectos son animalitos
pequeños que tienen
seis patas.

Algunos insectos tienen alas;
otros no las tienen.

**ab**

ábside    obsequio    obsesión
obstáculo    absoluto    objeto

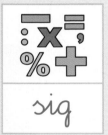

**sub**

submarino    subsidios
subsuelo    subdirector

**sig**

signo    consigna    significado
insignia    asignaturas

**at**

atleta    atlas    atlántico
fútbol    atmósfera    atlante

Obdulia dio la consigna.
El submarino se sumerge.
Abel es un atleta y
corrió una carrera de
obstáculos; a veces juega al fútbol.

# LOS PECES

Los peces viven en el agua
y tienen escamas.

Los peces tienen también
aletas para nadar.

Hay peces que viven en el
agua del mar y peces que
viven en las aguas de los ríos
y de los lagos.

|  |  | |  |
|---|---|---|---|

tra · tre · tri · tro · tru

trac · tren

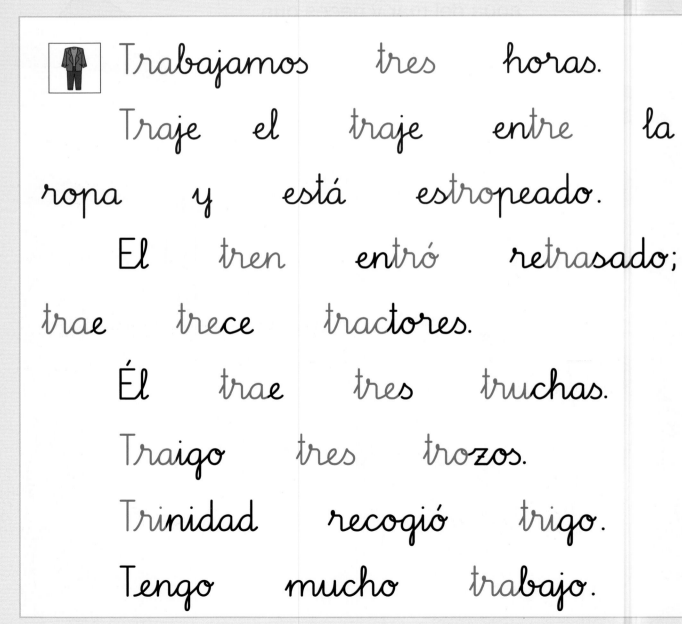

 Trabajamos tres horas.

Traje el traje entre la ropa y está estropeado.

El tren entró retrasado; trae trece tractores.

Él trae tres truchas.

Traigo tres trozos.

Trinidad recogió trigo.

Tengo mucho trabajo.

# EL BORRICO
# Y LOS TRES CERDOS

Tres cerditos había en un corral:
A los tres les gustaba
comer y roncar.

Al ver al buen borrico
trabajar y sudar
dijeron al borrico:
¿Tralará? ¡Tralará!
Nosotros los cerditos,
nada de trabajar.

Yo quiero, dijo el burro,
trabajar y sudar
no verme en embutidos
para la Navidad.

|  |  | |  |  |
|---|---|---|---|---|
| dra | dre | dri | dro | dru |

|  |  |
|---|---|
| madre | cuadro |

Mi padre tiene un hermoso perro llamado Dragón que ladra a los ladrones.

Mi madrina y mi padrino tienen cuadros antiguos; los trajeron de Madrid.

 Dibuja un cuadrado en papel cuadriculado.

Eso es un dromedario.

# LAS GOLONDRINAS

Bajo el alero del tejado
de mi casa hay un nido de
golondrinas con tres pajarillos.

Las golondrinas van y vienen,
continuamente, trayendo
alimento a sus hijos.

A la llegada de sus padres,
los tres pajarillos pían,
porque todos quieren comer
a la vez.

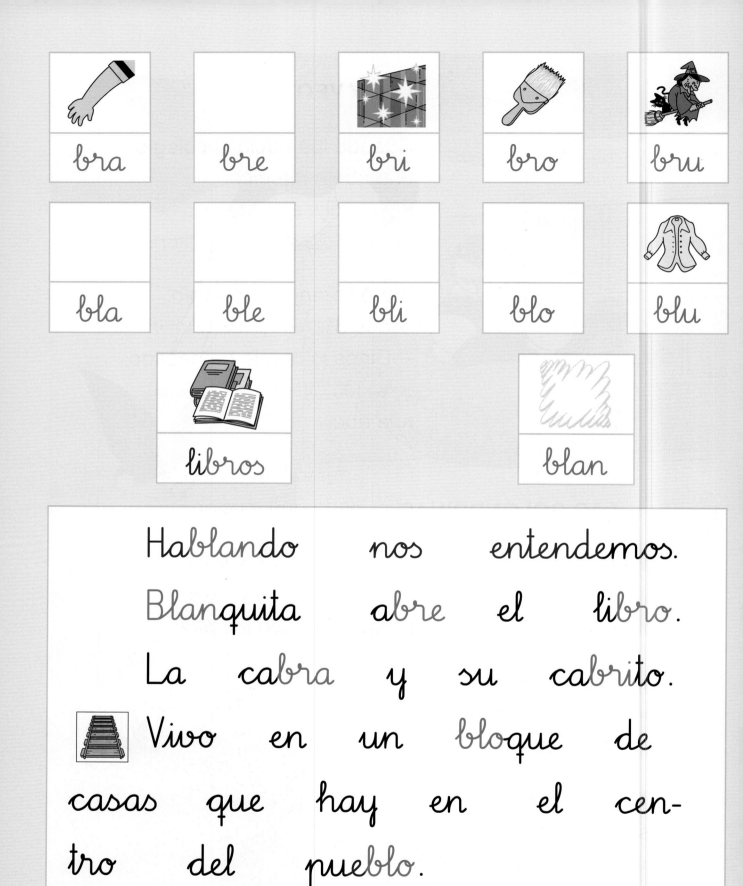

| | | | | |
|---|---|---|---|---|
| bra | bre | bri | bro | bru |
| bla | ble | bli | blo | blu |

libros

blan

Hablando nos entendemos.

Blanquita abre el libro.

La cabra y su cabrito.

Vivo en un bloque de casas que hay en el centro del pueblo.

El labrador sembraba brócoli.

## LEO Y VEO

Cuando iba hacia el colegio
una abeja me picó,
y yo le dije a la abeja:
me has clavado el aguijón.

Entré llorando al colegio.
Todos dijeron: ¡Qué horror!
—Dinos lo que te ha pasado.
—Yo les dije: en el cogote
una abeja me picó.

Corrieron tras de la abeja
para darle una lección.

Todos volvieron al cole
con caras como un melón,
porque también les picó.

| gra | gre | gri | gro | gru |
| gla | gle | gli | glo | glu |

gran

La campana grande de la iglesia repica a gloria. Es la fiesta del pueblo comemos grandes grosellas. Las fiestas alegran. En la granja dan gritos. Arregla estos libros.

# EL GLOBO DE COLORES

¡Mamá!, yo quiero un globito
de colores.

¡Toma, mi niño, el globito!,
y no llores.

Iba el niño con su globo,
entusiasmado.

Soltó el hilo
para ver cómo subía.

¡Mamaíta, se ha escapado!

| fra | fre | fri | fro | fru |
|-----|-----|-----|-----|-----|
| fla | fle | fli | flo | flu |
| | fras | flan | flor | |

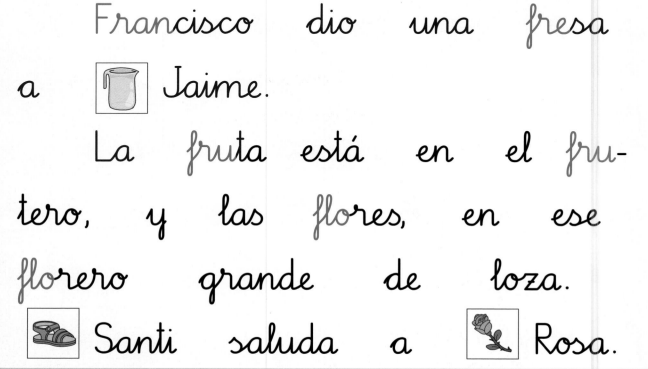

El frigorífico enfría.

Francisco dio una fresa a Jaime.

La fruta está en el frutero, y las flores, en ese florero grande de loza.

Santi saluda a Rosa.

# FLORES Y FRUTOS

La manzana,
la pera y la ciruela
son frutos.

La manzana, la pera,
la ciruela, antes de ser
frutos, fueron flores.

Cuando los árboles
están llenos de flores,
el campesino se alegra,
porque espera recoger
por cada flor un sabroso fruto.

| pra | pre | pri | pro | pru |
|-----|-----|-----|-----|-----|
| pla | ple | pli | plo | plu |

pren

plan

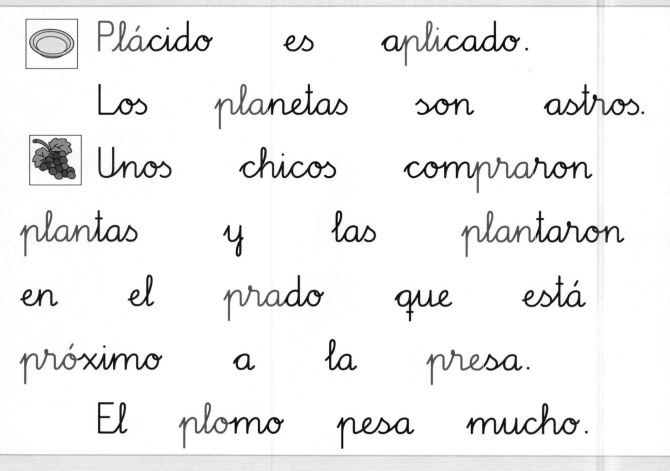

Plácido es aplicado.

Los planetas son astros.

Unos chicos compraron plantas y las plantaron en el prado que está próximo a la presa.

El plomo pesa mucho.

# LA PRIMAVERA

¡Qué bonita es
la primavera!

Los prados se llenan
de florecillas, los árboles
se cubren de hojas
de un verde tierno.

Llegan las golondrinas
y otras aves,
y las primeras mariposas
revolotean entre
las nuevas flores.

Parece que todo se alegra
en la primavera.

| cra | cre | cri | cro | cru |
| cla | cle | cli | clo | clu |

cris

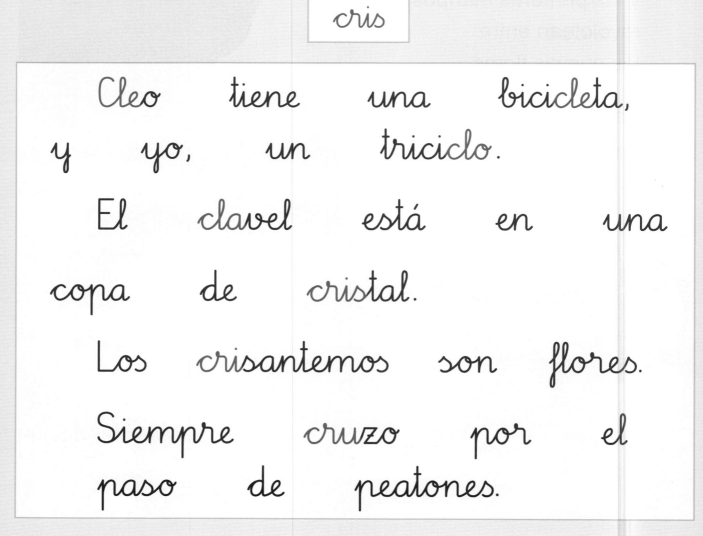

Cleo tiene una bicicleta, y yo, un triciclo.

El clavel está en una copa de cristal.

Los crisantemos son flores.

Siempre cruzo por el paso de peatones.

# CRUZABA LA CLUECA

Cruzaba la clueca
por todo el corral.

Pío, pío, pío,
clua, clua, clua, clua.

Todos los pollitos
en fila se van
detrás de la clueca.

Pío, pío, pío,
cluá, cluá.

## LEO Y VEO

La muñeca pelucona
tiene rubia la coleta,
un vestido colorado
y zapatos de bayeta.

Los ojos son dos botones;
los carrillos, gordinflones,
y las manos, regordetas.

Si le aprietas la barriga
te canta como una loca
y después queda muy quieta,
esperando una galleta
la muñeca pelucona.

# ¡QUÉ BIEN SE RESPIRA DESDE MI VENTANA!

Canta el pajarito.
Rama de laurel.
Las nubes galopan.
Comienza a llover.

Terminó la lluvia.
El sol resplandece.
La hierba del prado
es mucho más verde.

Huele todo el campo
a tierra mojada.
¡Qué bien se respira
desde mi ventana!

## LA TORMENTA

Los ángeles en los cielos
jugaban con las estrellas.
Se fue por ellos la Luna,
a los ángeles se lleva
y en camitas de luceros
uno a uno los acuesta.
Los va cubriendo con nubes
y dormiditos los deja.

Cuando la Luna se va
los angelitos despiertan.
Bajándose de las camas,

con pantuflas en chancleta
corren unos tras los otros
jugandito a la tormenta.

Cuando la Luna se vuelve,
al oír la zapatiesta
que los ángeles hacían
al dar brincos en chancleta,
les pone cara redonda
y una vez más los acuesta.

Quedó la Luna entre nubes
vigilando a la pandilla
de angelitos revoltosos,
y así pudo aquella noche
terminar con la tormenta.

## ARBOLITO

Mi hermana Marisa
dice que vio un nido.
—Súbeme a la rama
que ahí está escondido.
Los dos lo miramos
sin hacer un ruido.

Mi hermana Marisa,
hablando bajito
y muy cariñosa
decía: ¡Qué ricos!
Yo no soy mamita
que os dé un bichito;
solo soy Marisa.
—Pío, pío, pío.

# EL PERRO DEL PASTOR

Vete de aquí, lobo,
no entres al corral,
si quieres comida
yo no te puedo dar.

Si el rebaño duerme
y el pastor no está,
subido a la tapia,
he de vigilar.

Vete de aquí, lobo,
déjanos en paz,
busca tu comida
en otro lugar.

## CARMELITA

Carmelita,
que es como la dinamita,
no para quieta un momento.

Me dice: «Cuéntame un cuento.»
Se lo cuento,
y al momento,
otro cuento
y otro cuento.

¿Cuántos cuentos quieres?
Dí.
Y me responde que mil.

Carmelita, Carmelita.
¿Otra vez Caperucita?
¡No!
Por favor,
que el lobo ya está enterrado
y ese cuento se ha acabado.

# LA RANA Y LA GALLINA

Croa, croa, croa,
cantaba la rana.
Cloa, cloa, cloa,
la clueca cantaba,
clua, clua, clua,
por toda la granja.
La gallina clueca
se acerca a la charca
y con voz amiga
le dice a la rana:
¿Tienes tus pollitos
debajo del agua?

# CAMINITO

Entre la hierba un sendero,
caminito, caminito que hace el perro.
Va del jardín a la huerta,
va de la huerta al jardín.
Viene y va cientos de veces
este pequeño mastín.

Es que en la huerta persigue
a las urracas,
que se comen las cerezas,
y las ladra.
Y en el jardín
corre tras las mariposas,
en su vuelo caprichosas.

Este pequeño mastín
va del jardín a la huerta,
va de la huerta al jardín.

# EL PATITO COJO

Cojeando va el patito,
cojeando de una pata.
Va llorando porque cojo
cojea de mala gana.

No llores, pato, no llores
por tener mala la pata.

No lloro por lo que crees,
lloro por mi mala facha.
Me vi al borde del estanque
reflejándome en el agua.

Es que mañana me caso
con una muy linda pata;
no podremos en la boda
ir cogiditos del ala.

## TOTÓ

El nene, solito, jugaba en el parque.
Le habían regalado un gran pelotón
de goma muy fina y vivos colores.
El niño, solito, jugaba al balón.

Si le preguntaban
cómo se llamaba
decía «Totó».
El nene jugaba con el pelotón.
Con un piececito le daba,
le daba al balón,
que fue contra un árbol,
y el niño Totó
entonces dijo: «GOL».

## SOY LAUREL

Hazme un gorro de papel,
Isabel.
En el palo de la escoba,
monto a caballo,
y en él,
con el gorro de papel,
seré un caballero
y mi nombre verdadero
será Laurel
el Valiente.
Cuando te encuentre de frente,
Isabel,
galopando a toda prisa
por el pasillo de casa
notarás como una brisa
que pasa.
Es Laurel,
el valiente caballero,
Isabel.

## MAR

Me fui a los fondos del mar
muy temprano,
tan temprano
que estaban todos dormidos.
Los tuve que despertar.

Me fui a los fondos del mar
donde no existen los ruidos.
Un pulpo se despereza
sacudiendo la cabeza
de cien brazos ondulantes.

Las sardinas
pasan finas
como buenos navegantes.
Ya no sé cuándo se casan,
porque a los miles que había,
de seguro,
te aseguro
de una boda cada día.
Allá en los fondo del mar
los tuve que despertar.

En la realización de este proyecto han intervenido:

**Edición:** Miguel Ángel Muñoz Sanjuán

**Ilustraciones:** Pablo Espada

**Diseño de cubierta e interiores:** Miguel Ángel Pacheco y Javier Serrano

**Tratamiento infográfico del diseño:** Javier Cuéllar y Patricia Gómez

**Maquetación:** Raquel Horcajo e Isabel del Oso

**Corrección:** Sergio Borbolla

© Del texto: Herederos de Antonio Paláu y Dolores Osoro, 2013.
© Del conjunto de esta edición: GRUPO ANAYA, S.A., 2015 - C/ Juan Ignacio Luca de Tena, 15 - 28027 Madrid ISBN: 978-84-678-3232-7 - Depósito Legal: M-39-2013.

Reservados todos los derechos. El contenido de esta obra está protegido por la Ley, que establece penas de prisión y/o multas, además de las correspondientes indemnizaciones por daños y perjuicios, para quienes reprodujeren, plagiaren, distribuyeren o comunicaren públicamente, en todo o en parte, una obra literaria, artística o científica, o su transformación, interpretación o ejecución artística fijada en cualquier tipo de soporte o comunicada a través de cualquier medio, sin la preceptiva autorización.

ET017621/1E3I - 1000023